먼작귀

먼가 작고 귀여운 녀석

1

PRESENTED BY

나가노

차 례

살고 싶다　　· · · 8

치이카와의 일상 · · · 16

가르마　　· · · 36

무슨무슨 바니아 · · · 54

좀 더 하루하루 · · · 60

포쉐트　　· · · 64

구멍　　· · · 72

헤엄치자　· · · 80

돌려줘　　· · · 82

더더욱 하루하루 · · · 84

갖고 싶은 것　· · · 88

지팡이　　· · · 92

무서운 이야기 · · · 100

로우 · · · 102

별똥별 · · · 108

하늘다람쥐의 일상 · · · 116

강해지렴 · · · 120

또 봐 · · · 126

캐릭터

가르마

치이카와

'살고 싶다'

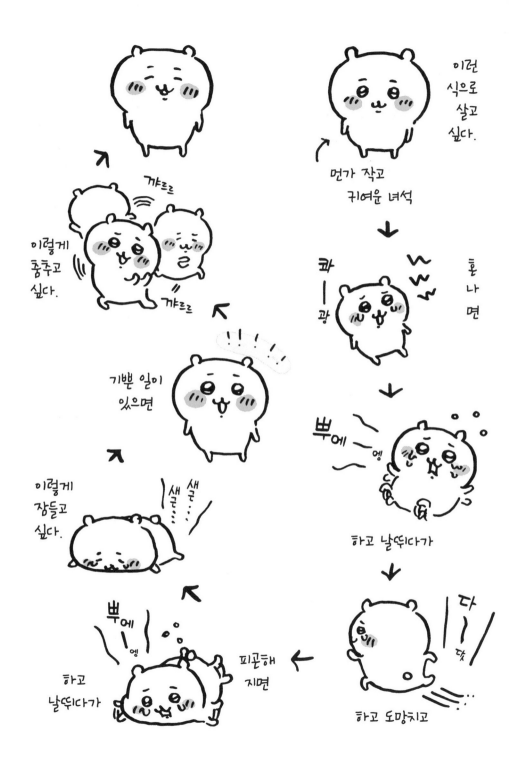

이런
식으로
살고
싶다.

먼가 작고
귀여운 녀석

이렇게
춤추고
싶다.

꺄르르

꺄르르

콰
ㅣ
광

혼
나
면

기쁜 일이
있으면

뿌에
ㅣ
엥

이렇게
잠들고
싶다.

쌔근...

하고 날뛰다가

뿌에
ㅣ
엥

하고
날뛰다가

피곤해
지면

다
ㅣ
닷

하고 도망치고

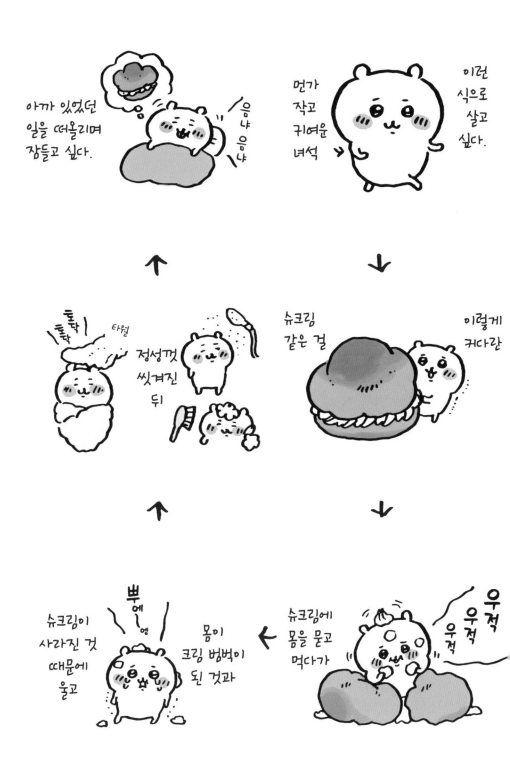

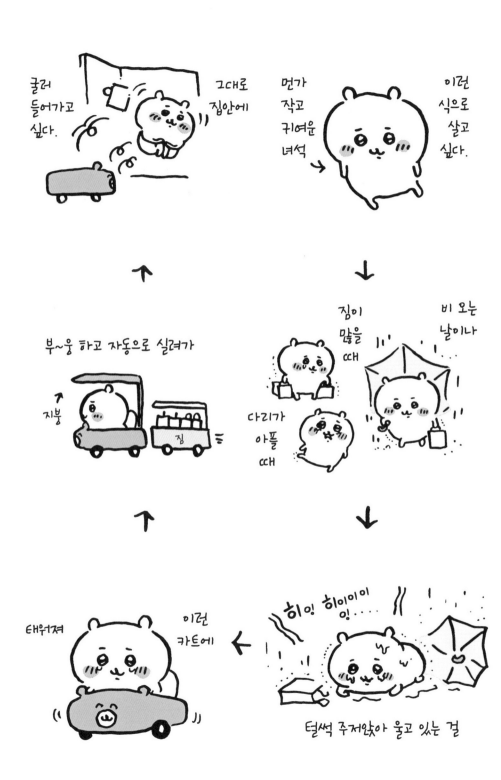

굴러 들어가고 싶다.

그대로 집안에

뭔가 작고 귀여운 녀석 →

이런 식으로 살고 싶다.

↑

부~웅 하고 자동으로 실려가

지붕 ↑

짐

짐이 많을 때

비 오는 날이나

다리가 아플 때

↑

↓

히잉 히이이이 잉....

태워져

이런 카트에 ←

털썩 주저앉아 울고 있는 걸

'치이카와의 일상'

피자 호빵

살짝 단단한 푸딩

브로콜리

밤만쥬

핫케이크

타코

연어포

치즈

야쿠르트

동물 쿠키

부타멘 컵라면

개복치 타기

살짝 구운 고등어 초절임

라무네

구운 마시멜로

키메라

싫어

우라라

손

꿈이었다

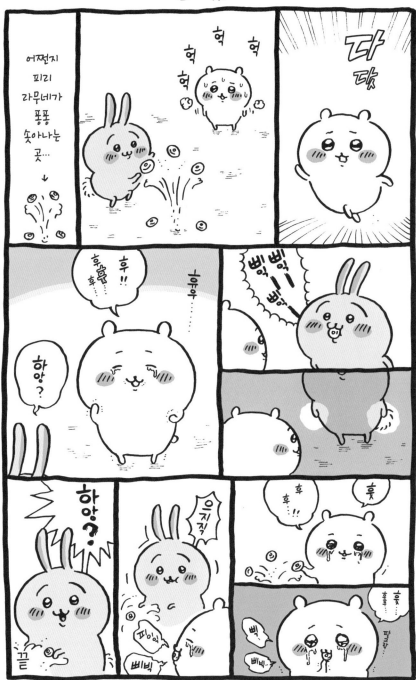

'가르마'

스핑크스

진짜다

초밥집

혼잣말을 하다

팩 초밥

토벌봉

친구

도라야키

반짝이 카드

똑같아

챠리메라 라면

챠루메라 라면

뭔가 나타났다

기운이 났다

초다시마

헤어볼 나오다

'무슨무슨 바니아'

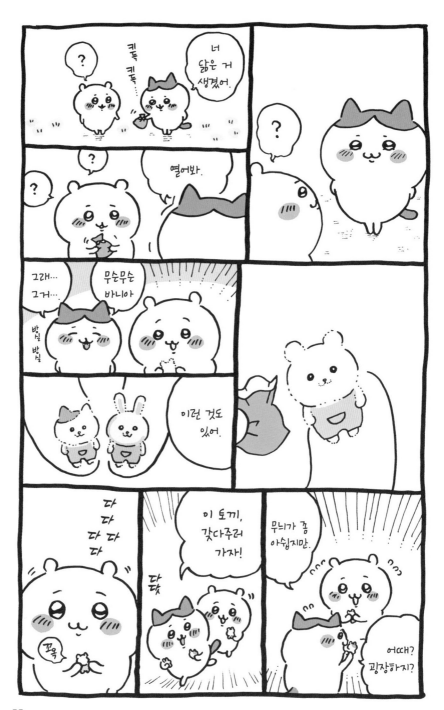

'좀 더 하루하루'

케첩 파스타

젤리

집

'포쉐트'

외박

아침 시장

드디어 해냈다

포쉐트

쓰고 있습니다

귀여운 척하는 거냐

'구멍'

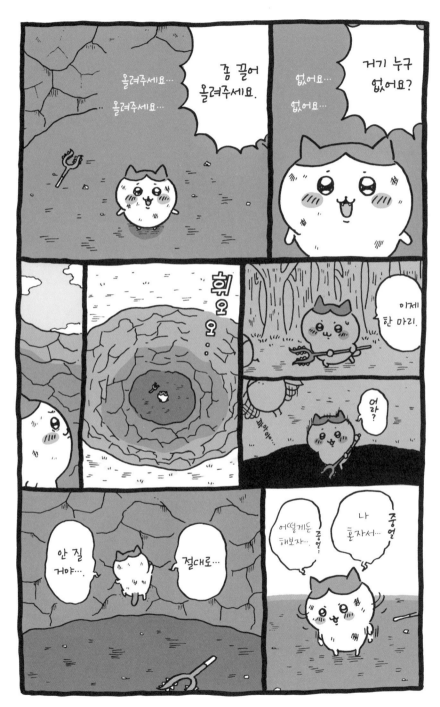

76

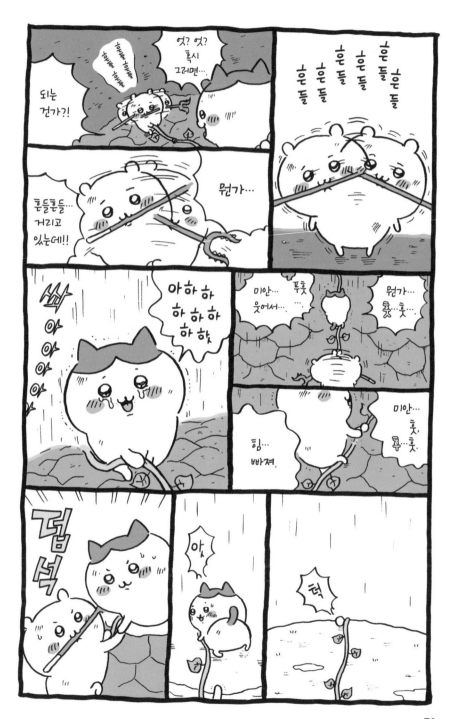

78

'헤엄치자'

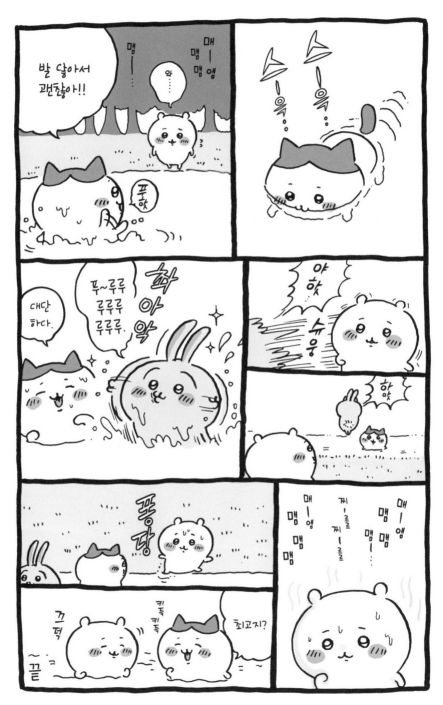

81

'돌려줘'

'더더욱 하루하루'

나의 작품

까눌레

86

배 아파

'갖고 싶은 것'

카메라 갖고 싶어

에잇

'지팡이'

94

96

'무서운 이야기'

'로우'

'별똥별'

도시락

파자마입니다

밤샘

소원

별똥별

이루어질까?

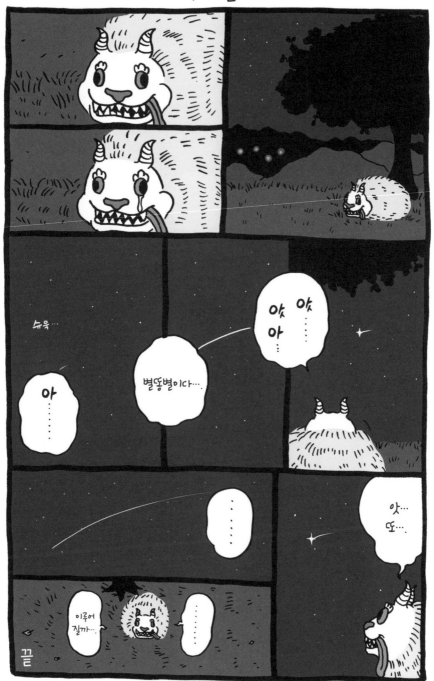

'하늘다람쥐의 일상'

로우

대견

하~악

'강해지렴'

'또 봐'

가르마가 발견한 자격시험 참고서!

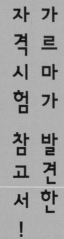

공부는 싫다….
하지만 합격해서
선물을 주고 싶다.

열심히
노력하는 건
네 미소가
보고 싶어서.

두근두근 떨리는 시험!
긴장돼서 울 것 같아!

'제초 검정편' 완전 수록!

먼가 작고 귀여운 녀석

많이 기대해주세요!

먼작귀 먼가 작고 귀여운 녀석 1

2022년 5월 31일 초판 발행   2024년 2월 13일 10쇄 발행

저   자_ 나가노

번   역_ 김혜정 **발행인**_ 황민호 **콘텐츠1사업본부장**_ 이봉석
책임편집_ 윤찬영/장숙희/전송이/조동빈/옥지원/김정택

발행처_ 대원씨아이(주) **주소**_ 서울특별시 용산구 한강대로 15길 9-12
전화_ 2071-2000 **FAX**_ 797-1023 **등록번호**_ 1992년 5월 11일 등록 제 1992-000026호

ISBN 979-11-7062-536-0 07830   979-11-7062-535-3 세트